# ATELIER CHOCOLAT

Trish Deseine

PHOTOGRAPHIES DE FRÉDÉRIC LUCANO

Stylisme de Sonia Lucano

Réalisation des recettes : Alisa Morov

LES PETITS PLATS

MARABOUT

ORIGINAUX & AUTHENTIQUES

DEPUIS L'AN 2000

# SOMMAIRE

# CHOCOLAT, MODE D'EMPLOI

## QUEL CHOCOLAT CHOISIR ?

Le chocolat est fait de pâte de cacao (mélange des extraits secs de la fève et du beurre de cacao), de beurre de cacao, de sucre et, pour le chocolat lacté, de lait en poudre.

Le chocolat blanc ne contient pas d'extrait sec de fève de cacao, mais seulement du beurre de cacao, du sucre et du lait en poudre. Les fabricants ajoutent aussi de la lécithine de soja ou de colza, un émulsifiant naturel. Les plus sérieux s'efforcent de n'utiliser que les produits garantis sans OGM.

Un chocolat qui ne contient aucune autre graisse végétale que le beurre de cacao sera forcément meilleur en goût et en texture.

## PASTILLES ET BLOCS DE CHOCOLAT DE COUVERTURE

Le chocolat de couverture est celui qu'utilisent les professionnels. Il est très riche en beurre de cacao ce qui le rend fluide et facile à travailler et à tempérer. Sa grande qualité est due à la sélection soigneuse des fèves de cacao utilisées dans sa fabrication. Achetez-le chez votre chocolatier et dans les boutiques spécialisées. Sinon, choisissez le meilleur chocolat à pâtisserie du supermarché. Nestlé Dessert a maintenant une gamme extra.

# DE LA FÈVE AU CHOCOLAT

## ÉCLATS DE FÈVES DE CACAO

À part des tablettes classiques, vous trouverez aussi des éclats de fèves de cacao, extra pour donner de l'intensité au goût et du croquant dans les textures.

## CACAO EN POUDRE

Quant au cacao en poudre, évitez les mélanges avec du sucre rajouté et prenez les bonnes marques, bio si possible.

## PÉPITES DE CHOCOLAT

Essayez de trouver des pépites de chocolat de bonne qualité, avec une bonne teneur en cacao et un minimum d'autres graisses que le beurre de cacao pour vos cookies et vos muffins.

## COPEAUX DE CHOCOLAT TOUT FAITS

Les copeaux de chocolat tout faits que l'on trouve dans les épiceries fines et au rayon pâtisserie sont fabriqués dans un chocolat moins riche en beurre de cacao afin de la matière et lui faire tenir sa forme. Ils sont très utiles. Privilégiez une marque de qualité.

# LES BONS OUTILS

## 1. ROULEAU À PÂTISSERIE
Très utile pour faire des rubans en chocolat.

## 2. SPATULE COUDÉE
Parfait pour glacer des gâteaux et étaler le chocolat sur un marbre.

## 3. FEUILLE GUITARE OU PAPIER SULFURISÉ
Plastique magique pour faire des décors. La feuille guitare sert à garder le chocolat brillant pendant qu'il refroidit. Le papier sulfurisé est utile pour faire sécher le chocolat sans qu'il colle. C'est moins efficace qu'une feuille guitare, mais ça marche !

## 4. MOULES À CHOCOLAT
En polycarbonate ou en plastique souple, des milliers de formes et de motifs. Amusez-vous !

## 5. MOULES À TUILES ET MOULE À CARAMEL
Pour les mordus de pâtisserie et de bonbons, un vrai investissement, ils coûtent chers !

## 6. TRIANGLE
Outil pour faire des copeaux en chocolat.

## 7. PINCEAU À PÂTISSERIE
Sert à peindre des motifs ou à glacer très finement.

## 8. BROCHE À TREMPER
Le vrai outil du chocolatier professionnel pour enrober bonbons, fruits secs, truffes et pâtes d'amandes. Léger et droit, très supérieur à la fourchette de table !

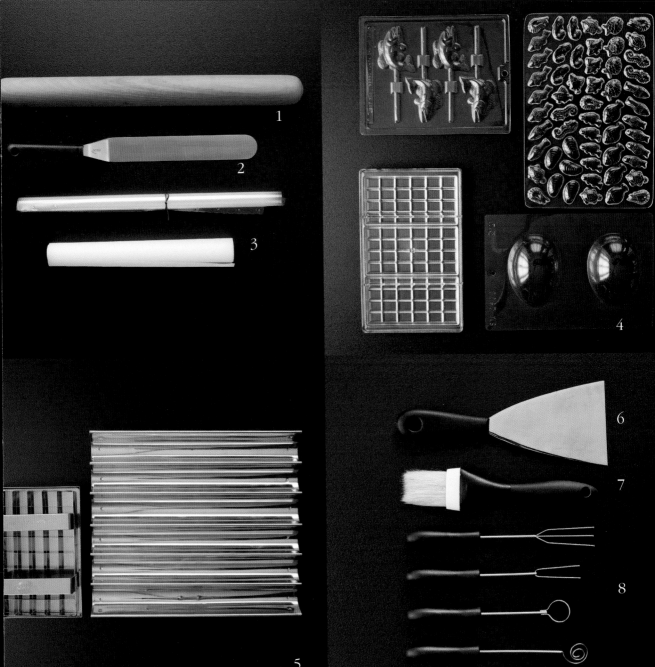

1

2

3

4

5

6

7

8

# LE TEMPÉRAGE, MODE D'EMPLOI

## ÇA SERT À QUOI ?

Tempérer le chocolat est une technique qui lui permet de garder son brillant et d'éviter les traces blanches du beurre de cacao au moment du moulage ; ne pas le faire n'altère en rien son goût.

Quand vous achetez une plaquette, celle-ci brille. Si vous voulez lui donner une autre forme et la retrouver aussi dure et brillante qu'au début, il faut, pour pouvoir la travailler, la faire chauffer, la refroidir puis la réchauffer. La méthode la plus facile et la plus rapide est celle des « deux tiers/un tiers ». Pour cela, il vaut mieux utiliser des pastilles de chocolat.

## LA TECHNIQUE

1) Muni d'un thermomètre de cuisine, faites chauffer les deux tiers du chocolat au micro-ondes ou au bain-marie sans ajouter ni eau ni lait, jusqu'à une température approchant les 45 °C.
2) Mélangez soigneusement et ajoutez le tiers du chocolat restant. Cela fera chuter rapidement la chaleur.
3) Remuez jusqu'à ce que toutes les pastilles soient parfaitement fondues.
4) Réchauffez ensuite le chocolat jusqu'à une température d'environ 30 °C afin de pouvoir le travailler (tuiles, moulages, décors…).

## DÉTAILS POUR LE CHOCOLAT DE COUVERTURE

Si vous vous procurez du chocolat de couverture, les courbes de température à respecter vous sont données dans le mode d'emploi.
Si tout cela vous paraît compliqué, c'est normal ; n'oubliez pas qu'une formation de chocolatier ou de pâtissier ne s'improvise pas ; mais équipé d'outils et d'ingrédients appropriés, vous n'aurez aucune peine à suivre ces recettes.

# LE CHOCOLAT FONDU, MODE D'EMPLOI

Il y a deux écoles accéptées, une troisième totalement déconseillée mais qui marche parfois, faut dire…

## LE BAIN-MARIE

La méthode la plus recommandée est le bain-marie. Cela ne veut pas dire qu'il faille à tout prix trouver un bain-marie en cuivre ou similaire. Il faut simplement que le récipient où vous mettez le chocolat se pose d'une façon stable sur un autre, rempli d'eau frémissante, sans que la vapeur d'eau touche le chocolat et, de préférence, sans que le fond du récipient avec le chocolat touche l'eau bouillante en dessous.

C'est la façon la plus douce de faire fondre le chocolat et de le garder fondu le plus longtemps.

Il suffit de remettre le tout sur le feu si le chocolat refroidit et durcit trop.

## LE MICRO-ONDES

La deuxième façon la plus courante est de mettre le chocolat au micro-ondes. Vous aurez besoin de moins d'équipement, mais il faut surveiller de près le chocolat, qui peut brûler très rapidement.

En tout les cas, essayez d'attendre le plus longtemps possible avant de remuer les chocolat qui fond. Cassez les morceaux carré par carré afin que le chocolat fonde plus rapidement.

## LA CASSEROLE

La troisième méthode, qui n'en est pas vraiment une (ne dites à personne que je vous l'ai dit), est de placer le chocolat dans une casserole et de mettre directement celle-ci sur le feu.

Non ! Stop ! Hurlent les professionnels et tous ceux qui n'aiment pas maltraiter le chocolat.

Mais si vraiment vous ne pouvez faire autrement, n'ayant pas de micro-ondes à votre disposition, mettez le chocolat dans une casserole à feu doux, surveillez-le de près et retirez-le très vite de la chaleur, ça marchera.

# LES TABLETTES DE CHOCOLAT MAISON

POUR I À 3 TABLETTES | 20 MINUTES DE PRÉPARATION | I HEURE DE REFROIDISSEMENT

**LES INGRÉDIENTS**
750 g de chocolat noir (250 g par plaque)

**LE MATÉRIEL**
I moule en forme de plaques de chocolat
I spatule
I feuille guitare

Fouinez un peu chez les pros ou allez sur les sites spécialisés pour trouver de jolis moules de plaques de chocolat. Mes préférés restent les classiques de la photo : juste assez profonds pour se démouler facilement, avec un beau motif de petits carrés sur un côté, lisse sur l'autre.

**1.** Faites fondre le chocolat (voir page 12).

**2.** Versez le chocolat fondu dans le moule, tenu au dessus d'une feuille guitare. Étalez-le en faisant attention de bien remplir les alvéoles du moule.

**3.** Tapotez les côtés pour faire remonter les bulles d'air à la surface du moule, puis raclez avec une spatule coudée pour enlever l'excédent de chocolat.

**4.** Puisqu'il tombe sur la feuille guitare, vous pourrez le récupérer et l'utiliser dans vos gâteaux et bonbons par la suite.

**5.** Mettez le moule au réfrigérateur pendant 30 minutes environ, et sortez-le et démoulez en tordant délicatement les côtés du moule pour défaire les plaques.

**6.** Faites attention qu'elles ne se cassent pas en tombant.

**7.** Enveloppez-les dans du papier argenté ou doré.

# JE CUSTOMISE MES TABLETTES

POUR I À 3 TABLETTES | 20 MINUTES DE PRÉPARATION | I HEURE DE REFROIDISSEMENT

**LES INGRÉDIENTS**
750 g de chocolat noir (250 g par plaque)
des fruits secs
des écorces d'agrumes,
des céréales,
des biscuits,
des bonbons écrasés,
des violettes ou des roses
cristalisées,
des billes de sucre argentées ou dorées…

**LE MATÉRIEL**
I moule en forme de plaques de chocolat

1. Pour varier les plaisirs, mélangez vos chocolats avec des fruits secs, des écorces d'agrumes, des céréales, des biscuits ou bonbons écrasés.

2. Déposez dans le moule les ingrédients que vous voulez ajouter et procédez comme on l'explique à la page précédente. Cependant, si vous en mettez trop les tablettes se démouleront plus difficilement. Une petite poignée suffit pour donner de la texture et du goût.

3. Les violettes et les roses cristallisées, les billes de sucre argentées ou dorées sont aussi très jolies lorsqu'on les parsème, ci et là, sur la surface lisse de la tablette, c'est-à-dire, la surface qui ne touche pas le quadrillé du moule.

# GANACHES

POUR 8 PERSONNES CHACUNE | 5 MINUTES DE PRÉPARATION | 2 HEURES DE REFROIDISSEMENT

## LES INGRÉDIENTS

GANACHE AU CHOCOLAT NOIR
100 g de bon chocolat très amer
5 cl de crème fleurette fraîche

GANACHE AU CHOCOLAT AU LAIT
100 g de bon chocolat au lait
5 cl de crème fleurette fraîche

GANACHE AU CHOCOLAT BLANC
150 g de bon chocolat blanc
3 cl de crème fleurette fraîche

## LE MATÉRIEL
2 bols
1 batteur électrique

**1.** Portez la crème à ébullition et versez-la sur le chocolat en pastilles, râpé ou coupé en tout petits morceaux.

**2.** Mélangez doucement avec une cuillère. Laissez refroidir.

**3.** Une fois refroidi, battez avec une cuillère en bois pour assouplir, puis fouettez avec un batteur électrique. Servez.

# TRUFFES

POUR 30 À 40 TRUFFES | 5 MINUTES DE PRÉPARATION | 2 HEURES DE REFROIDISSEMENT

**LES INGRÉDIENTS**
450 g de bon chocolat (en pastilles, râpé ou
en petits morceaux)
25 cl de crème fleurette fraîche
de la poudre de cacao

**LE MATÉRIEL**
1 casserole
1 saladier

**1.** Portez la crème à ébullition et versez-la sur le chocolat en pastilles,
râpé ou coupé en tout petits morceaux.

**2.** Mélangez doucement avec une cuillère. Laissez refroidir.

**3.** Formez des petites boules avec les doigts et enrobez-les
de poudre de cacao.

# TRUFFES FANTAISIE

Il y a des centaines de variations de goûts et de couleurs avec lesquelles vous pouvez jouez. La diversité fait des boîtes de truffes réalisées à la maisons de si jolis cadeaux !

## LES GRAINES DE SÉSAME

Pour enrober les truffes, pensez aux graines de sésame, noires ou blanches, grillées ou non. Les éclats de fève de cacao sont jolis à l'extérieur des truffes et donnent du croquant à l'intérieur.

## LE SUCRE GLACE

Le sucre glace apporte un très joli effet mate.

## LES FRUITS SECS ET LES FRUITS SÉCHÉES (DEDANS-DEHORS)

Vous pouvez utiliser tous les fruits secs moelleux que vous trouvez maintenant un peu partout.

Mention spéciale pour les pistaches émondées, les fraises, les cerises sechées qui donnent de jolies couleurs. Les myrtilles, les framboises et le cassis séchés seront meilleurs dans la ganache.

## LES LIQUEURS

Des liqueurs comme l'Amaretto, le whisky, la vodka ou l'armagnac sont des classiques. Ajoutez 2 à 3 cuillères à soupe dans le mélange de chocolat et de crème (voir page 20).

## LES CERISES AU KIRSCH

Coupez des cerises au kirsch en deux. Mélangez 2 ou 3 cuilères à soupe de sirop du bocal au chocolat. Mettez la moitié d'une cerise au milieu de la truffe et roulez-la comme les autres.

## LE SEL ET LE POIVRE

Pensez aux touches de sel et de poivre, très à la mode. Pas question de surdoser ! Il faut vraiment tester et goûter au fur et à mesure.

Les fleurs de sel aromatisées aux herbes, comme le thym ou le romarin, sont intrigantes avec le chocolat noir. La fleur de sel à la vanille se marie bien avec le chocolat au lait.

Quant aux poivres, ils réveillent fabuleusement les arômes des fêves. Tournez le moulin dans le mélange de crème et de chocolat, ou roulez légèrement les truffes dans quelques éclats.

# PRUNEAUX FOURRÉS À LA GANACHE

POUR 6 PERSONNES | 5 MINUTES DE PRÉPARATION | 10 MINUTES DE CUISSON

## LES INGRÉDIENTS
12 ou 18 pruneaux d'Agen dénoyautés
150 g de chocolat noir
15 cl de crème fleurette

## LE MATÉRIEL
1 saladier
1 casserole
1 batteur électrique
1 poche à douille

**1.** Dans une casserole, portez la crème à ébullition et versez-la sur le chocolat coupé en tout petits morceaux. Laissez la crème faire fondre un peu le chocolat, puis remuez afin d'obtenir un mélange lisse et brillant.

**2.** Fouettez ensuite au batteur électrique jusqu'à ce que le mélange soit mousseux et froid.

**3.** Ouvrez les pruneaux en forme de papillon.

**4.** Remplissez la poche de ganache et déposez-en un bon trait à l'intérieur de chaque pruneau, refermez sans trop appuyer.

IDÉE • Enrobez les pruneaux avec 300 g de chocolat noir fondu. Vous pouvez aussi ajouter 1 ou 2 cuillerées d'armagnac à la ganache.

# BOUCHÉES POUR CAFÉ GOURMAND

POUR UNE DOUZAINE DE BOUCHÉES | 10 MINUTES DE PRÉPARATION

**LES INGRÉDIENTS**
200 g de très bon chocolat noir
2 à 3 poignées de fruits secs, pistaches, noix
du Brésil, orangettes

**LE MATÉRIEL**
1 bol
1 moule en silicone

1. Faites fondre le chocolat (voir page 12) et mélangez-le aux fruits secs.

2. Versez dans un moule en silicone et laissez durcir au réfrigérateur.

3. Découpez en petits carrés et servez avec un bon café.

# « FIFTEENS »

POUR UNE QUINZAINE DE PETITES BOULES | 15 MINUTES DE PRÉPARATION

**LES INGRÉDIENTS**
15 cerises glacées coupées en deux
15 biscuits Digestive (chez Ikéa ou dans
les épiceries anglaises)
15 chamallows coupés en morceaux avec
des ciseaux mouillés
3 à 4 c. à soupe de noix de coco râpée
250 g de chocolat noir

**LE MATÉRIEL**
1 grand saladier
1 récipient pour faire fondre le chocolat

1. Dans un grand saladier, mélangez tous les ingrédients ensemble
(sauf le chocolat et la noix de coco).

2. Formez de petites boules et roulez-les dans la noix de coco râpée.

3. Faites fondre le chocolat (voir page 12).

4. Dippez les boules de gâteaux dedans.

5. Posez-les sur une feuille guitare sur du papier sulfurisé et laissez durcir.

# MENDIANTS

POUR 25 PIÈCES ENVIRON | 20 MINUTES DE PRÉPARATION

**LES INGRÉDIENTS**
125 g de chocolat noir
20 g de raisins secs
15 g de pistaches vertes
30 g d'amandes émondées
50 g d'aiguillettes d'orange confites

**LE MATÉRIEL**
1 feuille guitare ou 1 feuille
de papier sulfurisé

**1.** Posez une feuille guitare ou de papier sulfurisé sur un marbre ou sur une surface froide et lisse.

**2.** Faites fondre le chocolat (voir page 12).

**3.** Déposez sur la feuille une petite cuillerée à café de chocolat fondu et étalez-le en disque avec le dos de la cuillerée. Faites-en plusieurs à la suite pour éviter que le chocolat ne refroidisse trop vite.

**4.** Sur chaque palet posez un grain de raisin, une pistache, une amande et une demi-aiguillette d'orange, et laissez refroidir complètement.

**5.** Les mendiants sont prêts lorsqu'ils se décollent facilement du papier.

# JE CUSTOMISE MES MENDIANTS

POUR 400 G ENVIRON | 10 MINUTES DE PRÉPARATION | 30 MINUTES À 1 HEURE DE REFROIDISSEMENT

**LES INGRÉDIENTS**
250 g de chocolat
200 g de noisettes, amandes…

**LE MATÉRIEL**
1 bol
1 feuille guitare ou 1 feuille
de papier sulfurisé
1 cuillère à soupe

Sur la photo, plein de suggestions de jolies choses à poser sur des ronds de chocolat fondu, mais pensez aussi à mélanger des fruits secs, des fèves de cacao, des céréales dans le chocolat pour faire de petits palets rugueux et croquants.

**1.** Faites fondre le chocolat (voir page 12).

**2.** Ajoutez les fruits secs au chocolat en remuant délicatement.

**3.** Déposez des petits tas du mélange chocolaté sur la feuille guitare.

**4.** À l'aide du dos d'une cuillerée à soupe, tassez un peu afin de former de petits disques. Laissez durcir à température ambiante.

# FLORENTINS

POUR UNE DOUZAINE DE GÂTEAUX | 20 MINUTES DE PRÉPARATION | 25 MINUTES DE CUISSON

## LES INGRÉDIENTS
100 g de beurre
100 g de cassonade
100 g de miel
100 g de cerises confites
50 g de raisins secs
75 g de fruits confits hachés
100 g d'amandes effilées
100 g de farine
100 g de chocolat noir ou au lait

## LE MATÉRIEL
1 plaque à biscuits
1 casserole
1 saladier
1 feuille guitare
1 feuille de papier sulfurisé

**1.** Faites chauffer le four à 180 °C.

**2.** Beurrez une plaque à biscuits de 18 x 28 cm environ et placez la feuille de papier sulfurisé au fond.

**3.** Dans une casserole, faites chauffer le beurre, la cassonade et le miel jusqu'à ce que la cassonade soit complètement dissoute.

**4.** Hors du feu, ajoutez les cerises, les raisins, les fruits confits, les amandes effilées et la farine. Mélangez bien. Versez sur la plaque et faites cuire pendant 20 à 25 minutes jusqu'à ce que le dessus soit doré.

**5.** Laissez refroidir dans le moule pendant 5 minutes, puis tracez des carrés avec un couteau : ils seront faciles à découper lorsqu'ils seront froids.

**6.** Une fois que tout a refroidi, faites fondre le chocolat (voir page 12).

**7.** Découpez les morceaux avec les doigts et trempez-en une face dans le chocolat, puis laissez de nouveau refroidir et durcir sur une feuille guitare ou une feuille de papier sulfurisé.

# ROCHERS

POUR 20 PIÈCES ENVIRON | 40 MINUTES DE PRÉPARATION

**LES INGRÉDIENTS**
110 g d'amandes en bâtonnets
2 cuillerées à soupe de sirop de sucre
1 cuillerée à soupe de sucre glace
135 g de bon chocolat noir ou au lait

**LE MATÉRIEL**
1 plaque allant au four
1 casserole
1 feuille guitare ou de papier sulfurisé

**1.** Préchauffez le four à 180 °C.

**2.** Mélangez les amandes avec le sirop de sucre et formez des petits tas sur une plaque antiadhésive allant au four. Parsemez de sucre glace et laissez griller et caraméliser 2 à 3 minutes au four. Laissez refroidir.

**3.** Faites fondre le chocolat au micro-ondes ou au bain-marie, puis trempez-y les rochers un par un, avant de les poser sur la feuille guitare ou le papier sulfurisé.

IDÉE • Si vous ne trouvez pas dans le commerce d'amandes prêtes à l'emploi, faites-les vous-même en taillant des bâtonnets dans le sens de la hauteur.

chocolats marabout

# TUILES

POUR 20 PIÈCES ENVIRON | 30 MINUTES DE PRÉPARATION | 30 MINUTES À 1 HEURE DE REFROIDISSEMENT

## LES INGRÉDIENTS

200 g de bon chocolat (noir, blanc
ou au lait)
1 cuillerée à soupe de noisettes ou
d'amandes hachées et grillées ou d'éclats
de fèves de cacao

## LE MATÉRIEL

1 casserole
1 feuille guitare ou 1 feuille de papier
sulfurisé
1 plaque à tuiles
1 paire de ciseaux

**1.** Faites fondre le chocolat (voir page 12), puis mélangez-y les amandes, les noisettes ou les éclats de fèves.

**2.** Formez des disques très fins sur la feuille guitare, par rangées de quatre.

**3.** Quand le chocolat commence à se figer sans durcir, découpez avec une paire de ciseaux des bandes dans la feuille, et posez-les sur une gouttière à tuiles.

**4.** Laissez durcir complètement, puis retournez les tuiles et retirez délicatement la bande de papier.

# ORANGETTES

POUR 30 PIÈCES ENVIRON | 30 MINUTES DE PRÉPARATION | 30 MINUTES À 1 HEURE DE REFROIDISSEMENT

**LES INGRÉDIENTS**
125 g de bon chocolat noir
100 g d'aiguillettes d'oranges confites

**LE MATÉRIEL**
1 casserole
1 feuille guitare ou 1 feuille de papier
sulfurisé

1. Faites fondre le chocolat (voir page 12).

2. Trempez une aiguillette à la fois dans le chocolat, enrobez-la bien, égouttez-la et posez-la sur la feuille guitare ou la feuille de papier sulfurisé.

3. Laissez refroidir.

# PETITS SUJETS MOULÉS

POUR 50 PETITS SUJETS | 10 MINUTES DE PRÉPARATION | 30 MINUTES À 1 HEURE DE REFROIDISSEMENT

## LES INGRÉDIENTS
300 g de bon chocolat blanc, noir
ou au lait

## LE MATÉRIEL
1 moule à petits sujets
1 feuille guitare ou 1 feuille de papier
sulfurisé
1 spatule coudé

**1.** Faites fondre le chocolat au micro-ondes ou au bain-marie.

**2.** Versez dans le moule et remplissez tous les sujets. Répartissez bien
le chocolat en tapant le bord du moule pendant quelques secondes pour
faire remonter toutes les bulles d'air : elles formeraient de petits trous
à la surface des sujets démoulés.

**3.** Avec une spatule, raclez le chocolat excédentaire au-dessus de la feuille
guitare ou d'un saladier. Veillez à ne pas laisser de chocolat entre les sujets :
cela rendrait le démoulage plus difficile et leurs contours
ne seraient pas nets.

**4.** Laissez refroidir à température ambiante pendant quelques minutes,
puis mettez le moule dans un endroit frais ou au réfrigérateur
pendant 30 minutes à 1 heure.

**5.** Démoulez une fois que le chocolat s'est rétracté des bords. Pour
procéder au démoulage, tordez légèrement le moule comme vous le feriez
pour un bac à glaçons.

**6.** Si le chocolat se décolle en émettant un petit bruit, vous pouvez
retourner doucement le moule et faire sortir les sujets. Si vous n'entendez
rien, remettez le moule au réfrigérateur pendant une vingtaine de minutes.

IDÉE • Si vous avez tempéré le chocolat, les sujets resteront brillants, sinon
ils risquent de se ternir au bout de 24 heures ; mais d'ici là, ils seront
peut-être mangés ! Utilisez le surplus de chocolat pour confectionner
un gâteau, une mousse ou un chocolat chaud.

# MOULAGE DE GRANDS SUJETS

POUR I MOULAGE | 20 MINUTES DE PRÉPARATION | I HEURE DE REFROIDISSEMENT

**LES INGRÉDIENTS**
200 g de bon chocolat
pour un moulage creux
400 g à 500 g de bon chocolat
pour un moulage plein

**LE MATÉRIEL**
I moule à grand sujet
I feuille guitare

**1.** Tempérez ou faites fondre le chocolat (voir page 10 et 12).

**2.** Pour un moulage creux, versez-le dans le moule en tournant pour bien chemiser toute la surface intérieure.

**3.** Posez le moulage sur une feuille guitare, laissez égoutter et refroidir quelques minutes.

**4.** Retournez le moule et laissez refroidir complètement.

**5.** Pour un moulage plein, remplissez chaque moitié du sujet avec du chocolat. Retirez l'excédent de chocolat avec une spatule coudée.

**6.** Laissez durcir complètement.

**7.** Démoulez comme expliqué dans la recette des petits sujets (voir page 42).

**8.** Pour assembler le sujet, ramollissez les bords quelques secondes sur une assiette chaude, par exemple, et collez les deux pièces.

IDÉE • Il vaut mieux utiliser du chocolat à environ 30 °C, sinon le sujet sera trop fin et cassera au démoulage.

# SUCETTES EN CHOCOLAT

POUR 15 SUCETTES | 10 MINUTES DE PRÉPARATION | 30 MINUTES À 1 HEURE DE REFROIDISSEMENT

**LES INGRÉDIENTS**
300 g de bon chocolat blanc, noir
ou au lait

**LE MATÉRIEL**
1 moule à petits sujets
1 feuille guitare ou 1 feuille de papier
sulfurisé
1 spatule coudé

**1.** Faites fondre le chocolat (voir page 12).

**2.** Lorsque le chocolat est coulé dans les moules, posez le baton de la sucette dans le chocolat encore mou.

**3.** Laissez refroidir et durcir, puis démoulez comme les autres sujets (voir page 42), emballez et offrez !

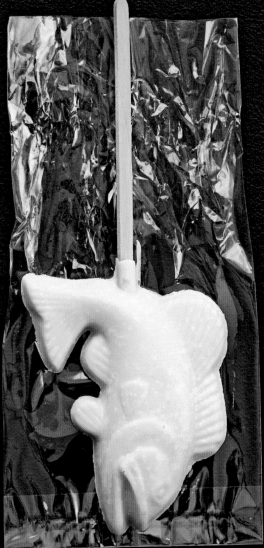

# ŒUFS DE PÂQUES

POUR 4 MOITIÉS D'ŒUFS D'UNE DIZAINE DE CENTIMÈTRES DE HAUT | 25 MINUTES DE PRÉPARATION | 40 MINUTES DE REFROIDISSEMENT

## LES INGRÉDIENTS
450 g de chocolat noir ou au lait
1 paquet de céréales pour le petit déjeuner
ou 2 paquets de crêpes dentelle écrasées

## LE MATÉRIEL
1 casserole
1 saladier
1 moule à œufs

**1.** Faites fondre le chocolat au micro-ondes ou au bain-marie.

**2.** Dans un saladier, mélangez le chocolat fondu avec les céréales ou les crêpes en morceaux jusqu'à ce qu'ils soient bien enrobés de chocolat.

**3.** Deux possibilités :
– remplir complètement les moules afin de fabriquer des demi-œufs solides ;
– enduire la surface des moules d'une couche de préparation pour obtenir des demi-œufs creux.

**4.** La première option est certainement la plus facile pour des enfants ; la seconde demande un peu de doigté. Il faut commencer par le centre du moule, et rajouter du mélange en « construisant » les bords peu à peu. Ne tassez pas trop le mélange contre les parois du moule : vous perdriez l'aspect rugueux, si joli, de l'œuf.

**5.** Laissez refroidir et durcir au réfrigérateur pendant 40 minutes environ.

**6.** Tordez le moule comme un bac à glaçons pour détacher le demi-œuf et démoulez.

**7.** Décorez avec des rubans. Les enfants peuvent aussi emballer leurs chefs-d'œuvre dans du papier cellophane, fabriquer de jolies étiquettes et les offrir.

# CARAMELS DE MARTINE

POUR 40 CARAMELS | 20 MINUTES DE CUISSON

## LES INGRÉDIENTS
15 morceaux de sucre (100 g)
250 g de bon chocolat noir en morceaux
1 noix de beurre salé
1 verre de lait demi-écrémé
1 c. à s. de miel

## LE MATÉRIEL
1 moule à caramel
1 casserole à fond épais

**1.** Éclaboussez les morceaux de sucre d'un tout petit peu d'eau.

**2.** Faites-les chauffer doucement pour qu'ils fondent et qu'un sirop se forme. Portez à ébullition et ajoutez le chocolat cassé en morceaux. Remuez bien pour qu'il fonde sans brûler. Versez ensuite le verre de lait en touillant bien, portez à ébullition et laissez frémir en remuant constamment avec une cuillère en bois.

**3.** Ajoutez la noix de beurre et le miel, puis faites frémir 10 à 15 minutes de plus sans cesser de remuer, en raclant bien les côtés et le fond de la casserole pour que le caramel ne colle pas trop.

**4.** Le caramel va épaissir assez rapidement sur la fin. Battez-le bien à ce moment-là et testez la consistance en le regardant tomber de la cuillère (ça, il faudrait avoir le coup d'œil de Martine, ce n'est peut-être pas évident la première fois !). Lorsque le caramel ne tombe plus de la cuillère ou très lentement, versez-le dans le moule, pressez le dessus du moule pour faire des carrés et attendez une petite heure pour que les caramels soient prêts.

**5.** Sachez que même s'ils sont trop mous ou trop durs la première fois, ils seront toujours délicieux et, surtout (merci, Martine, pour la recette !), ils seront les vôtres.

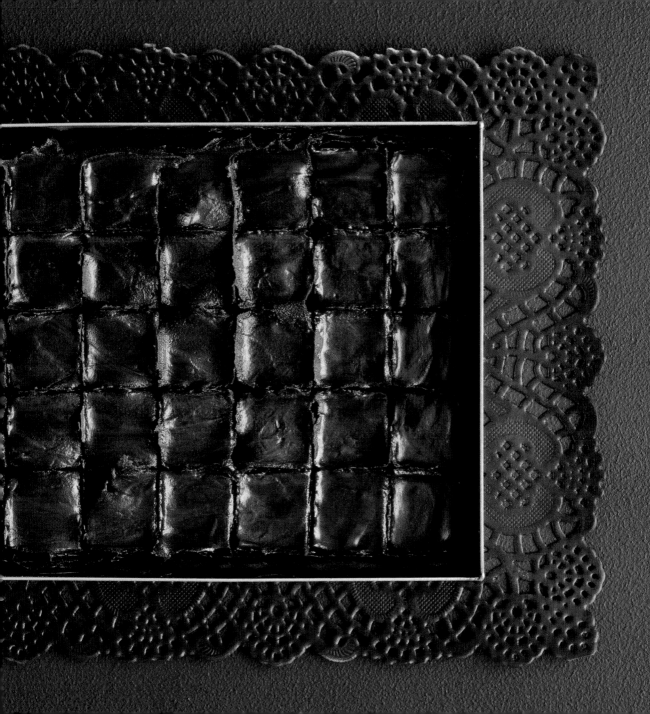

# FRUITS ENROBÉS

POUR 400 G | 5 MINUTES DE PRÉPARATION | 30 MINUTES À 1 HEURE DE REFROIDISSEMENT

**LES INGRÉDIENTS**
250 g de chocolat
200 g de fruits secs (abricots, pruneaux,
dattes, figues, poires, etc.)

**LE MATÉRIEL**
1 bol
1 feuille guitare ou 1 feuille
de papier sulfurisé
1 broche à tremper ou 2 fourchettes

**1.** Faites fondre le chocolat (voir page 12).

**2.** Laissez tomber les fruits un par un dans le chocolat fondu, enrobez-les parfaitement, sortez-les et égouttez-les à l'aide de 2 fourchettes ou mieux encore, avec une broche à tremper de chocolatier.

**3.** Posez-les sur la feuille guitare ou la feuille de papier sulfurisé et laissez durcir à température ambiante.

# BISCOTTI

POUR 30 BISCUITS ENVIRON | 20 MINUTES DE PRÉPARATION | 35 MINUTES DE CUISSON | 40 MINUTES DE REFROIDISSEMENT

**LES INGRÉDIENTS**
210 g de farine
1 sachet de levure chimique
225 g de sucre
75 g de beurre pomade
4 œufs
1 c. à café d'extrait de vanille
250 g de pépites de chocolat noir
150 g de chocolat noir pour dipper

**LE MATÉRIEL**
1 bol
1 batteur électrique
1 plaque allant au four
du papier sulfurisé ou 1 tapis en silicone
1 feuille guitare

**1.** Battre dans un bol le sucre et le beurre à l'aide d'un batteur électrique. Ajoutez les œufs un par un, puis l'extrait de vanille. Incorporez la farine et la levure. Ajoutez les pépites de chocolat et mélangez bien.

**2.** Posez sur le tapis en silicone ou le papier sulfurisé deux rectangles de mélange de 25 cm de long et de 10 cm de large. Réfrigérez pendant 30 minutes.

**3.** Faites chauffer le four à 180 °C et faites cuire les biscotti pendant 25 minutes environ. Le dessus doit être craquelé et un couteau doit sortir propre lorsqu'il est enfoncé dans le centre du gâteau. Sortez du four et laissez refroidir 10 minutes.

**4.** Baissez le four à 150 °C.

**5.** Faites glisser les gâteaux sur une planche ; coupez en diagonale des barres de 2 cm d'épaisseur dans la pâte chaude.

**6.** Remettez les biscotti sur les côtés et faites cuire de nouveau de 5 à 8 minutes par côté. Le dessus doit être bien doré.

**7.** Sortez les biscotti du four et laissez-les refroidir sur une grille.

**8.** Faites fondre les 150 g de chocolat (voir page 12).

**9.** Trempez un côté de chaque biscuit dans le chocolat fondu et laissez refroidir sur une feuille guitare ou sur du papier sulfurisé.
Déguster en trempant dans du café ou du thé.

# MERINGUES À DIPPER

POUR UNE QUINZAINE DE MERINGUES | 10 MINUTES DE PRÉPARATION | 50 MINUTES DE CUISSON

**LES INGRÉDIENTS**
5 blancs d'œufs
250 g de sucre
100 g de chocolat noir

**LE MATÉRIEL**
1 saladier
1 batteur électrique
1 tapis en silicone ou du papier sulfurisé
1 plaque allant au four
1 feuille guitare ou du papier sulfurisé

**1.** Préchauffer le four à 120 °C.

**2.** Séparez les blancs des jaunes. Mettez les blancs dans un saladier parfaitement propre et battez-les avec un batteur électrique. Lorsque les blancs commencent à devenir fermes, ajoutez le sucre, cuilérée par cuillérée, en battant à chaque fois.

**3.** Lorsque la meringue est bien ferme et brillante, remplissez une poche à douille et faites des zigzags sur un tapis en silicone (ou sur du papier sulfurisé), lui-même posé sur une plaque allant au four.

**4.** Faites cuire 50 minutes environ.

**5.** Sortez du four et laissez refroidir sur la plaque.

**6.** Faites fondre le chocolat (voir page 12).

**7.** Dippez les meringues et laissez-les refroidir sur une feuille guitare ou sur du papier sulfurisé.

# LANGUES DE CHAT À DIPPER

POUR UNE VINGTAINE DE BISCUITS | 20 MINUTES DE PRÉPARATION | 10 MINUTES DE CUISSON | 4 MINUTES DE REFROIDISSEMENT

## LES INGRÉDIENTS
115 g beurre bien mou
115 g sucre
2 oeufs
1 gousse de vanille
100 g de chocolat noir

## LE MATÉRIEL
1 saladier
1 batteur électrique
1 tapis en silicone ou du papier sulfurisé
1 plaque allant au four
1 feuille guitare ou du papier sulfurisé

**1.** Préchauffez le four à 200 °C.

**2.** Dans une salasier, battez le beurre avec le sucre jusqu'à ce que le mélange blanchisse et double de volume.

**3.** Ajoutez les oeufs, un à un, et battez encore.

**4.** Tamisez la farine et versez-la dans le mélange avec les graines de la gousse de vanille coupée en deux et grattée avec une lame de couteau.

**5.** Posez un tapis en silicone ou du papier sulfurisé sur une plaque allant au four. Mettez la pâte à gateau dans une poche à douille (ou un sachet en plastique coupé sur un coin) et faites de petites formes de langues en les espacant de 3 cm les unes des autres.

**6.** Enfournez et cuisez 5 à 6 minutes, jusqu'à ce que les côtés soient dorés et le dessus reste pale.

**7.** Enlevez de la plaque et laissez refroidir sur une grille.

**8.** Faites fondre le chocolat.

**9.** Dippez un côté des biscuits et posez-les sur du papier sulfurisé ou sur une feuille guitare et laissez sécher.

# CHOCOLAT SHORTBREAD À DIPPER

POUR UNE VINGTAINE DE GÂTEAUX | 10 MINUTES DE PRÉPARATION | 50 MINUTES DE CUISSON

## LES INGRÉDIENTS

250 g de beurre salé très froid coupé en petits dés
85 g de sucre
300 g de farine
25 g de cacao en poudre
100 g de chocolat noir

## LE MATÉRIEL

1 bol
1 plat rond flûté
1 feuille guitare ou du papier sulfurisé

**1.** Préchauffez le four à 150 °C.

**2.** Dans un bol, travaillez le beurre, le sucre, la farine et le cacao avec les doigts ou au robot pour obtenir un mélange sableux. Pétrissez 1 minute sur une surface froide et légèrement farinée.

**3.** Pressez la pâte avec les doigts dans le plat préalablement beurré, puis enfourner pour 50 minutes.

**4.** Découpez le gâteau en triangles au sortir du four et parsemez de sucre. Laissez refroidir les shortbread dans le plat.

**5.** Faites fondre le chocolat (voir page 12).

**6.** Dippez les triangles de shortbread dans le chocolat fondu et laissez-les refroidir sur une feuille guitare ou sur du papier sulfurisé.

# BROWNIES À DIPPER

POUR UNE DIZAINE DE BROWNIES | 10 MINUTES DE PRÉPARATION | 30 MINUTES DE CUISSON

## LES INGRÉDIENTS
225 g de sucre
120 g de chocolat noir
90 g de beurre
2 œufs battus
90 g de farine
50 g de noisettes ou de noix de macadamia
grillées et concassées, ou des noix de pécan
concassées
100 g de chocolat noir pour dipper

## LE MATÉRIEL
2 bols
1 moule carré d'environ 20 cm de côté, ou
un plat à gratin de même capacité
1 feuille guitare ou du papier sulfurisé

**1.** Faites chauffer le four à 180 °C. Beurrez le moule.

**2.** Faites fondre le beurre et 120 g de chocolat au micro-ondes ou au bain-marie et laissez refroidir légèrement.

**3.** Ajoutez-y les œufs battus, puis le sucre et la farine. Mélangez rapidement mais avec délicatesse, puis incorporez les noisettes.

**4.** Versez la préparation dans le moule et faites cuire pendant 30 minutes environ. Le dessus doit être croustillant et l'intérieur moelleux. Laissez refroidir un peu avant de démouler.

**5.** Découpez les brownies en longues tranches.

**6.** Faites fondre 100 g de chocolat (voir page 12).

**7.** Dippez les tranches de brownies dans le chocolat fondu et laissez refroidir sur une feuille guitare ou sur du papier sulfurisé.

# FRAISES AU CHOCOLAT

POUR UNE DOUZAINE DE GROSSES FRAISES | 20 MINUTES DE PRÉPARATION | 20 MINUTES DE REFROISSEMENT

**LES INGRÉDIENTS**
12 grosses fraises
200 g de chocolat blanc
50 g de chocolat noir

**LE MATÉRIEL**
2 récipients
1 feuille guitare ou du papier sulfurisé

Dippez des fraises dans du chocolat fondu, les faire refroidir, rien de plus facile ! Pour les rendre encore plus jolies, tentez l'effet ''double choc'' avec un peu de chocolat noir ou au lait qui fait de jolies rayures dans le chocolat blanc..

**1.** Faites fondre les deux chocolats dans des récipients séparés (voir page 12).

**2.** Préparez les fraises, lavez-les et séchez-les bien. Posez-les sur une surface lisse.

**3.** Versez les chocolat noir dans le blanc en faisant des petits puits.

**4.** Dippez ensuite la fraise, faites-la tourner sur elle-même pour faire de jolies rainures, puis posez-la sur une feuille guitare ou du papier sulfurisé et laissez refroidir et durcir 20 minutes avant de déguster. Pas plus, car la fraise se ramollit très vite sous la chaleur du chocolat.

# DÉCORS FREESTYLES

Aucun besoin d'être un grand pro de la décoration au chocolat. La nature fait bien les choses, et le chocolat fondu semble tomber toujours assez joliment. Muni d'une feuille guitare (ou de papier sulfurisé à défaut), de bon chocolat et une ambiance assez froide là où vous cuisinez, vous pouvez faire des merveilles.

Faites fondre le chocolat (voir page 12).

## LES CROISILLONS, ECT.

À l'aide d'une cuillère, faites couler le chocolat sur la feuille, elle-même posée sur une surface froide et lisse, et expérimentez !

Faites des croisillons, écrivez des lettres ou des mots, créez des formes… Ils feront un effet fantastique sur vos gâteaux, tartes et cookies.

## LES RUBANS

Pour les rubans, découpez des bandes dans une feuille guitare et appliquez le chocolat à l'aide d'un pinceau. Roulez-les autour d'un rouleau à pâtisserie. Laissez sécher et durcir puis ôtez délicatement la feuille en plastique.

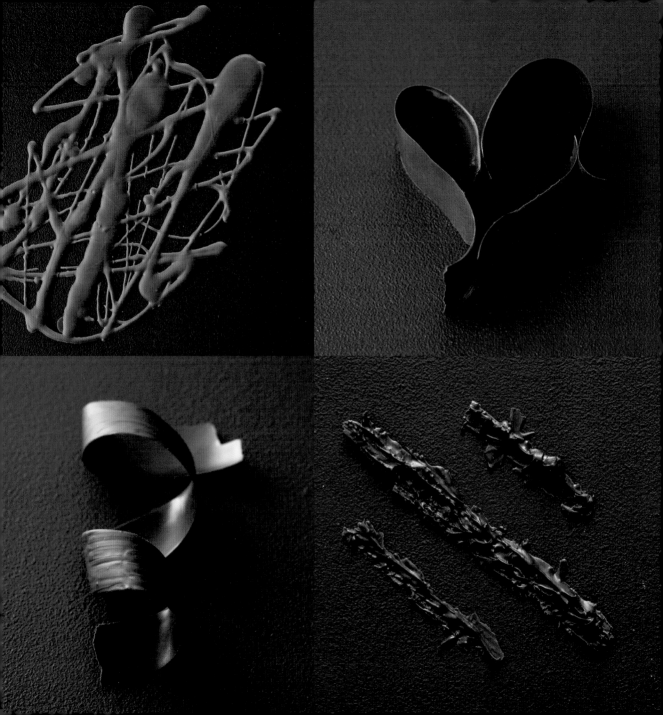

# CIGARETTES EN CHOCOLAT

POUR 10 CIGARETTES DE 10 CM DE LONG | 10 MINUTES DE PRÉPARATION

**LES INGRÉDIENTS**
120 g de chocolat noir, blanc
ou au lait

**LE MATÉRIEL**
1 spatule
1 triangle

**1.** Faites fondre le chocolat (voir page 12).

**2.** Coulez-le sur une surface froide et lisse. Étalez finement à l'aide d'une spatule. On peut faire des cigarettes (comme sur la photo) sur du papier sulfurisé afin de protéger les surfaces de sa cuisine, mais elles seront plus faciles à réaliser si coulez le chocolat fondu sur du marbre, du granite, de l'inox ou une autre surface froide et lisse.

**3.** Laissez le chocolat prendre.

**4.** Lorsqu'il a durci, mais est encore un peu souple, raclez la surface du chocolat avec un triangle afin d'obtenir cigarettes qui se roulent alors que le triangle avance, ou des éventails qui se froissent à l'arrivée de la lame en métal.

# GÂTEAUX « C'EST-MOI-QUI-L'AI-FAIT »

POUR 12 PERSONNES | 20 MINUTES DE PRÉPARATION | 25 MINUTES DE CUISSON | 10 MINUTES DE REFROIDISSEMENT

## LES INGRÉDIENTS

POUR LA GÉNOISE
225 g de beurre très mou ou de margarine
225 g de sucre
4 œufs
225 g de farine
3 c. à soupe de cacao en poudre mélangées
à 3 c. à soupe d'eau chaude
2 c. à café de levure chimique

POUR LA GANACHE
30 cl de crème fleurette
300 g de chocolat noir

POUR LE DÉCOR
200 g de chocolat noir
350 g de fruits rouges mélangés

## LE MATÉRIEL

1 saladier
1 batteur électrique ou 1 robot
2 moules à manqué de 20 cm de diamètre
1 casserole
1 grand bol
2 feuilles guitare ou de papier sulfurisé
1 spatule
1 paire de ciseaux
1 règle
1 bol
1 copine pour l'entourage du gâteau

**1.** Préparez la génoise : faites chauffer le four à 180 °C. Beurrez et farinez les deux moules à manqué. Mettez tous les ingrédients de la génoise dans un saladier et fouettez au batteur électrique jusqu'à ce que le mélange soit bien homogène. Versez dans les 2 moules et faites cuire 25 minutes : le dessus du gâteau doit être moelleux lorsque vous appuyez avec votre doigt. Sortez du four, laissez refroidir quelques minutes puis démoulez sur une grille.

**2.** Préparez la ganache : portez la crème à ébullition et versez-la sur 300 g de chocolat coupé en petits morceaux ; la crème va faire fondre le chocolat. Remuez afin d'obtenir un mélange lisse et brillant. Fouettez ensuite avec un batteur électrique jusqu'à ce que vous obteniez un mélange mousseux et froid. Coupez les gâteaux en deux afin d'obtenir 4 disques. Étalez la ganache sur un disque, posez le deuxième. Répétez l'opération 2 fois puis garnissez le dessus du gâteau avec le reste de ganache. Mettez au réfrigérateur.

**3.** Pour l'entourage et le décor, travaillez dans une pièce fraîche (18-19 °C) et sèche. Avec la règle, mesurez la hauteur du gâteau. Dans une des feuilles, découpez une bande dont la largeur correspond à la hauteur du gâteau et du gâteau (sa circonférence).

**4.** Afin de récupérer l'excédent de chocolat qui déborderait, posez la deuxième feuille non découpée sur un marbre ou sur une autre surface froide et lisse et la bande découpée par-dessus.

**5.** Faites fondre le chocolat au micro-ondes ou au bain-marie. Versez le chocolat fondu sur la bande et étalez-le régulièrement avec une spatule. Laissez refroidir le chocolat, qui doit durcir légèrement : il ne doit pas couler, mais rester assez souple pour pouvoir épouser la forme du gâteau.

**6.** Avec de l'aide, de préférence, prenez la bande et collez-la, côté chocolat contre le gâteau, en appuyant légèrement. Décorez le sommet du gâteau avec des fruits rouges de saison. Placez le gâteau au réfrigérateur.

**7.** Sortez le gâteau une vingtaine de minutes avant de déguster ; ôtez la feuille juste avant de servir.

**Découvrez tout l'univers de Trish Deseine sur :** www.trishdeseine.com

## SHOPPING

**Peintures RESSOURCE :**
24 avenue du Maine, 75015 Paris - 01 42 22 58 80
www.ressource-peintures.com

**Rubans MOKUBA :**
18 rue Montmartre. 75001 Paris - 01 40 13 81 41
www.mokuba.fr

**MERCI :**
111 boulevard beaumarchais, 75003 Paris

**FLO° EMBALLAGES :**
www.cartonnages-renaux.fr

**BHV DECO :**
www.bhv.fr

© Hachette Livre - Marabout 2009
Dépôt légal : octobre 2009
ISBN : 978-2-501-06328-9
40-5017-5-01
Imprimé en Espagne par Graficas Estella

**MARABOUT SE PRÉOCCUPE DE L'ENVIRONNEMENT**

Nous utilisons des papiers composés de fibres naturelles, renouvelables et recyclables.

Les papiers qui composent ce livre sont fabriqués à partir de bois issus de forêts qui adoptent un système d'aménagement durable.

Nous attendons de nos fournisseurs de papier qu'ils s'inscrivent dans une démarche de certification environnementale reconnue.